LES
AFFICHES ORIGINALES

DES MAÎTRES DE L'ÉCOLE DE PARIS

FERNAND MOURLOT

LES AFFICHES ORIGINALES

DES
MAÎTRES DE L'ÉCOLE DE PARIS

BRAQUE · CHAGALL
DUFY · LÉGER · MATISSE
MIRÓ · PICASSO

ANDRÉ SAURET, ÉDITEUR

© *ANDRÉ SAURET, 1959*

Bien que le déluge n'ait pas été annoncé par voie d'affiches pour en ménager la surprise, l'affiche a dû toujours exister.

Dans l'antiquité, sous la forme d'inscriptions, lois gravées en langue grecque ; plus tard, annonces peintes de représentations théâtrales romaines ; xylographies du moyen âge ; placards typographiques pour encourager l'enrôlement de recrues aux XVIIᵉ et XVIIIᵉ siècles, on trouve aux différentes époques, tout au long de l'Histoire, des affiches rarement illustrées, avant que l'invention de la lithographie puis de la chromo-lithographie ne permette une expression pratique et colorée de l'affiche illustrée.

Dans le domaine de la publicité commerciale, touristique, littéraire et théâtrale, des artistes firent carrière et produisirent, de l'époque romantique à la fin du siècle, une abondante quantité d'affiches, dont quelques-unes sont de véritables chefs-d'œuvre et sont restées célèbres. Chéret puis Capiello tinrent une place importante dans une phalange de qualité dont Lautrec est le maître incontesté et qui compte Charlet, Raffet, Granville, Gavarni (Daumier et Manet incidemment), Steinlen, Ibels, Grün, Caran d'Ache, Bottini, Bonnard, parmi les peintres et dessinateurs qui apportèrent, à l'exécution d'affiches lithographiques, leur talent et leur originalité.

Parallèle à l'affiche commerciale qui continue son heureuse carrière sous les signatures de Cassandre, Paul Colin, Carlu, Loupot, Savignac, Jean Colin, Villemot, Morvan, etc. (nous nous excusons auprès des artistes de talent que nous ne citons pas), et avec le renfort épisodique de rares peintres, Segonzac (Thérèse Dorny), Van Dongen (chaussures Cecil, Rouge à lèvres), est née depuis environ vingt ans une autre forme de placards illustrés par lesquels les peintres annoncent leurs expositions. Et c'est cette floraison «de couleurs dans un certain ordre assemblées» qui décore les vitrines des Galeries et des antiquaires, qui est notre objet.

Témoins et surtout reflets d'un temps où la publicité est vivace, les artistes sont sortis de leur tour d'ivoire pour exposer dans la rue. Pourquoi? Confusion, surenchère? Hausser le ton pour se faire entendre dans un marché est devenu nécessaire, et voilà l'explication pessimiste. Nous pensons qu'ils ont d'autres raisons plus raisonnables de transformer en cimaises les vitrines des magasins de certains quartiers de Paris.

C'est sans doute l'exemple des Musées nationaux qui a incité les peintres à annoncer, eux aussi, leurs expositions. En effet, dès 1927, Jacques Jaujard, alors Sous-Directeur de nos Musées, fit éditer quelques affiches remarquables reproduisant des œuvres d'art, afin d'attirer l'attention du public sur les grandes manifestations artistiques du Louvre, de l'Orangerie des Tuileries et du Petit Palais.

8

Les artistes, les premiers, furent touchés par l'intérêt de cette initiative, et leur vint le goût de s'exercer dans cette nouvelle technique.

Dufy accepta, un des premiers, de peindre une composition pour annoncer une Exposition d'Art français dans les pays scandinaves. Puis, en 1946, Picasso, pour ses amis potiers, dessina l'affiche d'une exposition faite à Vallauris.

Le départ d'une mode en passe de devenir tradition était donné, et si cette abondance nous permet de découvrir quelques œuvres de qualité, nous ne pouvons que nous en réjouir.

Nous ne pouvons classer comme originales la reproduction de toiles choisies par des artistes dans leur œuvre pour servir de thèmes à l'illustration de leurs affiches d'exposition et qui donnent bien souvent, du reste, des résultats remarquables.

Dans ce premier volume, nous avons été amenés à ne présenter que sept artistes qui comptent parmi les plus importants de la peinture contemporaine.

Lautrec et Bonnard* ont déjà fait l'objet d'autres études, — des artistes importants ne se sont pas penchés sur ce problème.

Dans le catalogue qui suit les reproductions, on remarquera que plusieurs de nos peintres ont entièrement gravé eux-mêmes leurs affiches. Cela provient de ce qu'ils fréquentent beaucoup les ateliers d'imprimerie.

J'ai eu personnellement l'honneur de recevoir, rue de Chabrol, les plus grands artistes contemporains et les jeunes qui s'intéressent aux arts graphiques.

* *Les Affiches de Toulouse-Lautrec,* par E. Jullien (Sauret éditeur); *Bonnard lithographe,* par Claude Roger-Marx (Sauret éditeur).

Handicapés par leur sensibilité, dans une discipline où la discrétion est superflue, les peintres n'ont pas craint de confronter leurs œuvres à celles des affichistes spécialisés. Chaque fois qu'ils ont su utiliser les moyens propres à leur art, jouant de la justesse, de la distinction des accords et de l'équilibre des formes, sans chercher avant tout à faire voyant, ils ont produit des œuvres harmonieuses qui, malgré leur plus petite surface, ont supporté avec bonheur l'épreuve de la rue.

Quelques-uns de leurs drapeaux, à la réalisation desquels ils apportent le soin que réclame l'importance qu'ils y attachent, sont des œuvres d'art.

Pour arriver au résultat qu'ils souhaitaient, j'ai vu Matisse, Picasso, Chagall déchirer, recommencer leur maquette et en surveiller l'impression avec une attention vigilante.

C'est pourquoi, à l'intention des curieux qui aiment voir le spectacle à partir des coulisses, nous croyons que le présent ouvrage a son intérêt pour les amateurs de la « Petite Histoire de l'Art ».

D'autre part, certaines de ces affiches, qui ne furent pas spécialement remarquées à leur parution, sont restées peu connues et, tant pis pour le sommeil des collectionneurs, sont devenues rarissimes.

RAOUL DUFY a composé lui-même peu d'affiches. Ce grand artiste, curieux de toutes les disciplines artistiques, décorateur de goût et dessinateur de grande classe, averti des techniques de l'imprimerie, aurait réalisé de remarquables affiches, s'il s'y était attaché.

Ses illustrations pour le *Tartarin* de Daudet sont un des

chefs-d'œuvre de la lithographie en couleurs, et les quatre affiches originales reproduites dans le présent ouvrage font regretter que le temps ait manqué à ce travailleur inlassable pour réaliser d'autres œuvres, dont il eût assumé la création avec la science et la conscience qu'il apportait dans tout ce qu'il entreprenait.

Il a dû, faute de ne pouvoir s'y consacrer, se contenter de choisir, parmi ses toiles ou ses aquarelles, celles à reproduire pour les affiches annonçant ses expositions, et suivre de très près leur exécution.

L'œuvre de FERNAND LÉGER a eu une profonde influence aussi bien sur les arts graphiques que sur la décoration.

C'était un affichiste-né. Il en possédait tous les dons de synthèse, de force et d'éclat, et l'on peut s'étonner que les murs de Paris n'aient pas été recouverts d'affiches de lui; sans doute aucune firme ne lui en a demandé, — la prudence mitigeant l'audace, — ou peut-être l'a-t-il refusé?

Habitué de notre imprimerie où il a fait un bon nombre de lithographies sous forme d'estampes ou d'illustrations, il était toujours heureux de composer une affiche : « Alors, Fernando (c'était ainsi qu'il m'appelait), elle te plaît, celle-là? Tu sais, il me faut de bonnes couleurs...»

Ce grand ami n'a laissé que des regrets, et son souvenir est toujours vivace auprès de chacun de nous qui avions estimé, en plus de son talent, sa simplicité et sa gentillesse.

J'ai connu HENRI MATISSE en 1937, à l'occasion de l'Exposition des Maîtres de l'Art indépendant au Petit Palais.

Nous avions imprimé la reproduction d'une de ses toiles *le Rêve,* choisie par lui. Nous lui soumettions à son atelier, alors boulevard du Montparnasse, les épreuves des couleurs de l'affiche en cours. Après quelques superpositions, le maître nous demanda de lui rendre sa toile et, sans plus en tenir compte, il transforma la reproduction à son gré. Le texte fut également corrigé par lui.

Henri Matisse avait un goût très vif pour les textes gravés et la belle typographie.

N'a-t-il pas choisi le caractère de presque tous ses livres et fait lui-même la mise en page des titres et réglé les blancs et les interlignes des pages typographiques?

Le thème de la seconde affiche de l'Exposition des Maîtres de l'Art indépendant était *le Petit Déjeuner* de Bonnard, avec qui j'ai été également en rapport pour le tirage. Le grand artiste m'avait donné des directives très nettes pour la reproduction de son tableau.

Vraiment, Raymond Escholier, alors Conservateur du Petit Palais, avait eu la main heureuse dans le choix des porte-drapeaux de son Exposition.

Depuis, j'ai eu le privilège de travailler très souvent pour Henri Matisse, — aussi bien lorsqu'il se fut retiré à Nice pour travailler, que lors de ses passages à Paris.

Il ne s'agissait pas de tricher, ni d'imprimer une couleur qui ne soit pas au ton. Je puis citer un exemple de l'attention portée par le maître à tous les détails de ses productions.

Pour l'exécution de l'affiche de *Jazz,* la date ayant été avancée, il ne restait que peu de jours pour être prêts. Je ne pouvais donc soumettre les textes à l'artiste et Bérès me demanda de choisir les caractères à mon goût, ce qui fut fait et donna un assez bon résultat. Quelques jours après, je reçus une grande lettre, affectueuse mais assez sévère, de monsieur Matisse, qui critiquait mon choix, avec, évidemment, toutes les raisons de son côté.

Si l'on veut bien louer quelquefois les impressions qui sortent de notre maison, n'ai-je pas été à bonne école?

J'aurais été inconscient de ne pas profiter de la leçon de ces maîtres.

Merci donc, cher monsieur Matisse...

Ce n'est pas sans émotion que j'ai rappelé le souvenir de ces grands artistes disparus.

BRAQUE a fréquenté l'imprimerie surtout dans les années 1942-1945. À cette époque, il n'y avait pas d'autos. Je le revois encore arrivant rue de Chabrol sur un invraisemblable vélo qui tenait du vieux tricycle et du bulldozer. S'il lit ces quelques lignes, notre grand ami sourira en pensant que son arrivée était toujours attendue avec sympathie bien sûr, mais aussi comme une attraction. Il n'était pas question alors d'affiches, mais on travaillait la litho, et ce changement de quartier, — *it's a long way* du parc Montsouris à la gare de l'Est, — le décor assez extraordinaire de la vieille imprimerie, la fréquentation des imprimeurs plaisaient à Georges Braque, qui n'hésitait pas à traverser Paris pour venir faire quelques retouches.

Depuis, Braque réalise ses lithos d'affiches surtout sur papier report. On lui soumet des épreuves et les «bons à tirer» ne sont souvent obtenus qu'après de nombreuses corrections.

Cette question d'affiche a toujours beaucoup intéressé

Georges Braque. Ses maquettes poussées à fond, il n'a pas hésité plusieurs fois à en exécuter lui-même la mise sur pierre.

Depuis qu'il est rentré d'Amérique en 1950, il est rare que MARC CHAGALL, passant par Paris, ne vienne travailler à l'atelier où ses nombreux et importants travaux l'appellent.

Il y est chez lui, aimant cette atmosphère « opéra de quatre sous », accueilli par tous avec la plus grande affection. Après avoir dessiné la couleur principale de son affiche, bien souvent il s'est laissé aller à corriger et à terminer les pierres des couleurs secondaires. Comment résister à l'envie de renforcer un ton, au désir de transformer un détail quand il n'y a qu'un étage à descendre pour être près de la machine qui imprime votre œuvre ?

Une étroite collaboration s'établit entre l'artiste et les artisans, et c'est de cet esprit d'équipe, que la mécanique, Dieu merci, n'a pas encore remplacé, que vient sans doute une qualité, imparfaite certes, mais « hors série », humaine en un mot.

Conçues, mises au monde, veillées, surveillées par l'artiste lui-même dans une exaltante atmosphère de création, toutes ces affiches sont des œuvres originales, vivantes, au même titre que les estampes précieuses, lithographies ou eaux-fortes.

Sauf la première, imprimée pour le Salon des Surréalistes en 1950, alors qu'il était aux États-Unis, JOAN MIRÓ a exécuté lui-même sur pierre ou sur zinc toutes ses affiches.

Son instinct poétique l'inspire dans le choix de l'aimant imprévu qu'il réussit à incorporer dans ses lithos, grâce à sa grande pratique du métier.

14

Travaillant toujours dans le même atelier, avec les mêmes pressiers, Miró réalise lentement, soigneusement, chacune des couleurs de ses compositions avec la réflexion et la conscience qu'il porte à l'élaboration de tous ses travaux; et le résultat est un feu d'artifice de couleurs, toujours inattendu.

Pendant plusieurs mois, à partir d'octobre 1946, PICASSO est venu travailler rue de Chabrol. Tous les jours, comme un simple dessinateur lithographe, il arrivait dès neuf heures du matin et, jusqu'à huit heures du soir et souvent plus tard, il restait là penché sur ses pierres. C'était généralement un des ouvriers de la maison qui l'attendait et, trouvant l'heure tardive, le priait de s'arrêter. C'est assez extraordinaire, car l'on sait que Pablo, à la mode espagnole, se lève tard, mais ce travail le passionnait, il se plaisait dans ces ateliers, et, ayant caché à ses amis où il allait, il était tranquille. Jaime Sabartés a très bien expliqué ces quelques mois passés par son ami, à travailler dans un métier nouveau pour lui*. Durant cette période, Picasso a été au fond des possibilités du procédé, il a appris et réinventé la litho; ainsi, il lui a été facile de passer à l'exécution de ses affiches.

Quand il s'est retiré dans le Midi, il a continué à faire de la litho sur des zincs, des pierres et des papiers que je lui envoie, mais l'atelier n'est plus là avec les imprimeurs en bleus et le bruit des machines

Aussi, Picasso s'est-il mis à graver des linos, et c'est chez les typos de Vallauris — Arnera — qu'il imprime ses affiches pour les potiers et pour les corridas. Il en surveille lui-même

* *Picasso lithographe,* tome I (Sauret éditeur).

15

l'impression et je sais bien que mon sympathique confrère Arnera doit souvent faire laver sa machine et recommencer sa couleur quand elle n'est pas tout à fait au ton.

Mais la lithographie artistique ne s'arrête pas à ces prestigieux champions. Des jeunes peintres célèbres, et d'autres plus peintres que célèbres, des moins jeunes, des figuratifs et des non-figuratifs sont attirés et retenus dans les ateliers d'imprimerie et sans doute leur œuvre graphique fera l'objet d'une prochaine étude.

Nous espérons que si nous avons paru parfois exagérer le rôle de l'imprimeur, le lecteur n'y verra pas péché d'orgueil, mais au contraire le souci de rendre justice aux artisans, dessinateurs et ouvriers qui collaborent avec l'artiste, partagent ses inquiétudes et se réjouissent d'une réussite accordée à leur application et à son talent. Et cette joie du travail bien accompli, c'est le Bénéfice, sur terre, des hommes de bonne volonté...

F. M.

GEORGES BRAQUE

GALERIE MAEGHT
13 RUE DE TEHERAN 8ᵉ LAB. 16-43

ŒUVRE
GRAPHIQUE
DE
G. BRAQUE

GALERIE
MAEGHT

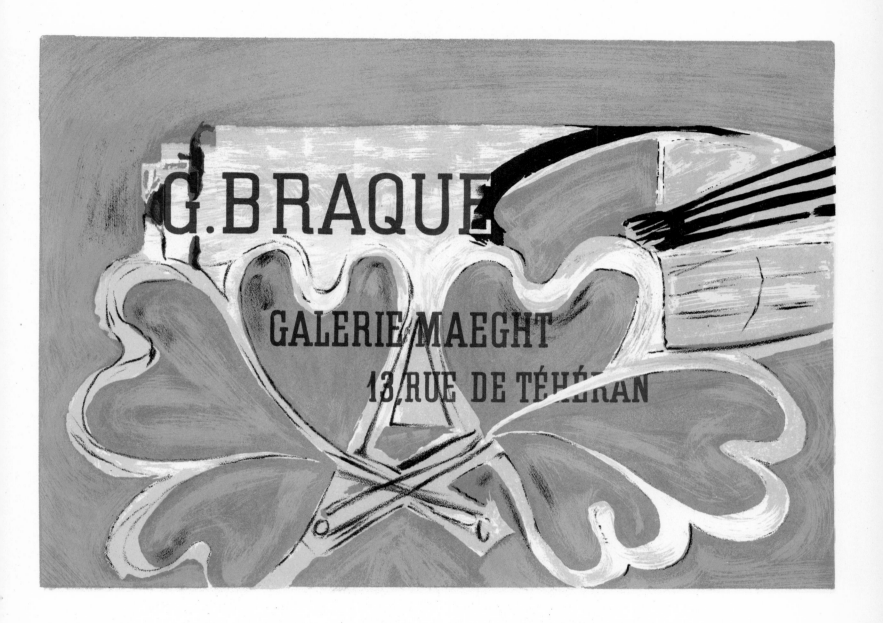

G. BRAQUE

GALERIE MAEGHT

13, RUE DE TÉHÉRAN

GALERIE MAEGHT

THEOGONIE

G.BRAQUE

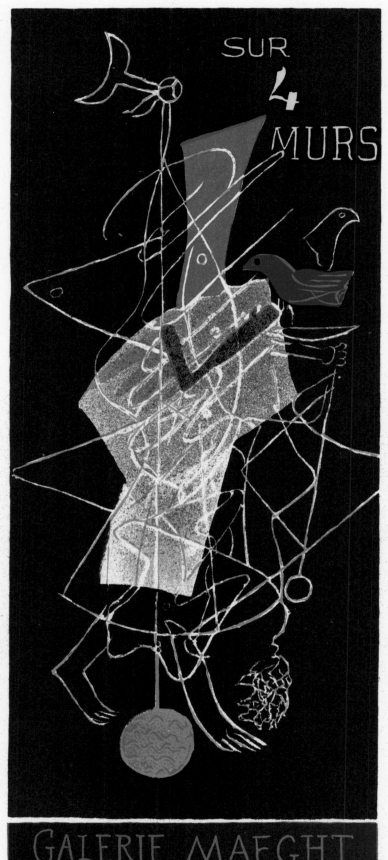

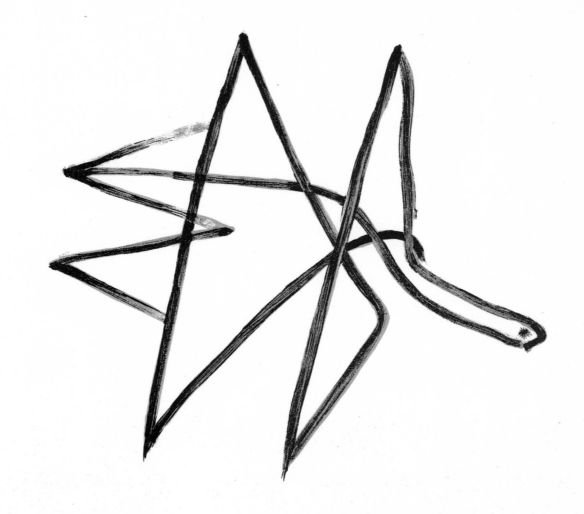

SPONSORED BY THE EDINBURGH FESTIVAL SOCIETY
AND ARRANGED BY THE ARTS COUNCIL OF GREAT BRITAIN IN ASSOCIATION WITH THE ROYAL SCOTTISH ACADEMY

EDINBURGH FESTIVAL 1956   18 AUGUST - 15 SEPTEMBER

ROYAL SCOTTISH ACADEMY

WEEKDAYS 10-9 · SUNDAYS 2-5   ADMISSION 2D

GALERIE MAEGHT

SUR 4 MURS

G. BRAQUE

ŒUVRE GRAPHIQUE

CABINET DES ESTAMPES
ESTAMPES
GALERIE NICOLAS RAUCH S.A.
LIVRES ILLUSTRES
GENÈVE
5 PROMENADE DU PIN   2 PLACE DU PORT

DU II SEPTEMBRE AU 12 OCTOBRE 1958

MOURLOT

G BRAQUE

ESTAMPES

· LIVRES ·

GALERIE ADRIEN MAEGHT

42 RUE DU BAC

MOURLOT - PARIS - OCTOBRE - 1958

MARC CHAGALL

Kunsthalle Basel
Chagall

4. Nov. bis 3. Dez. 1933

Täglich 10-12½, 2-5

Eintritt Fr. 1.10   Mitglieder frei

Sonntag 2-5

Mittwoch 5-7 | **55 Cts**

Dessin d'une affiche
pour mon Exposition
Marc Chagall
1933

GALERIE MAEGHT · PARIS

CHAGALL
ŒUVRES RÉCENTES

KUNSTHAUS ZÜRICH

CHAGALL

DEZEMBER 1950 - JANUAR 1951

GALERIE MAEGHT - PARIS
Chagall
CERAMIQUES
SCULPTURES
ET
LES FABLES
DE
LA FONTAINE
Chagall
1952

VILLE DE NICE

CAP FERRAT , 1949

CHAGALL
PEINTURES ~ AQUARELLES ~ DESSINS

GALERIE DES PONCHETTES ~ 77 QUAI DES ÉTATS-UNIS
FÉVRIER ~ MARS ~ 1952
TOUS LES JOURS DE 10 HEURES A 18 HEURES

MOURLOT-PARIS

VENCE
Cité des Fleurs et des Arts
FÊTES DE PAQUES
1953

L'original du dessin ci-dessus, offert par le maître **Marc CHAGALL**, sera vendu le lundi, aux enchères à l'américaine.

LE LIVRE ITALIEN
CONTEMPORAIN

GALERIE DES PONCHETTES : 77, Quai des Etats-Unis - NICE

Du 4 au 18 JUIN 1953

Tous les Jours de 10 h. à 12 heures et de 15 h. à 19 heures

VENCE

CITÉ DES ARTS ET DES FLEURS

FÊTES DE PÂQUES
1954

BIBLE
Marc Chagall
VERVE
33-34

ÉDITIONS VERVE - PARIS

MOURLOT - PARIS

CHAGALL

27. Oktober – 29. November   Kunsthalle   Bern

Marc Chagall

ŒUVRE GRAVÉ

GALERIE DES PONCHETTES

77 QUAI DES ÉTATS-UNIS - 1er FÉVRIER - 16 MARS 1958 - TOUS LES JOURS DE 10 A 18 H

MOURLOT IMP.   AVEC L'AUTORISATION DE A. MAEGHT, ED.

RAOUL DUFY

29ᵉ SALON DE LA SOCIÉTÉ DES ARTISTES DÉCORATEURS ET SALON DE LA LUMIÈRE

LA RUE
DU 11 MAI AU 14 JUILLET 1939
GRAND PALAIS

La Technique Publicitaire. R. BESSARD, éditeur, 102, rue d'Assas, Paris-VI

TRAGÉDIE, COMÉDIE

1946
1956

Compagnie
Madeleine Renaud
Jean Louis Barrault

MOURLOT - PARIS

FERNAND LÉGER

FERNAND LÉGER

EXPOSITION RÉTROSPECTIVE 1905 · 1946

MUSÉE NATIONAL D'ART MODERNE

AVENUE DU PRÉSIDENT WILSON

6 OCTOBRE - 13 NOVEMBRE 1949

TOUS LES JOURS DE 10 A 17 HEURES - SAUF LE MARDI

ÉDITIONS DES MUSÉES NATIONAUX - MOURLOT, PARIS

A PARTIR DU 2 JUIN 1951

FERNAND LÉGER

LES CONSTRUCTEURS

et Sculptures Polychromes.

MAISON DE LA PENSÉE FRANÇAISE
2 RUE DE L'ÉLYSÉE _ PARIS _ VIII.

MOURLOT · PARIS

F. LÉGER

LOUIS CARRÉ · 10 AVENUE DE MESSINE · JUIN 1953

MOURLOT PARIS

34

F. LÉGER

MOURLOT - PARIS

Museum Morsbroich - Leverkusen
Februar 1955

FERNAND LÉGER

MUSÉE DE LYON
28 JUIN - 30 SEPTEMBRE 1955
OUVERT TOUS LES JOURS

FESTIVAL LYON-CHARBONNIÈRES
SYNDICAT D'INITIATIVE DE LYON

MOURLOT·PARIS

F·LÉGER

ŒUVRES RÉCENTES

MAISON DE
LA PENSÉE FRANÇAISE

2, RUE DE L'ÉLYSÉE - PARIS VIII - 1954

A PARTIR DU 10 NOVEMBRE

MOURLOT PARIS

HENRI MATISSE

HENRI MATISSE

GALERIE MAEGHT - PARIS

HENRI MATISSE

JAZZ

TERIADE EDITEUR

EXPOSITION

CHEZ

PIERRE BERÈS

14, AVENUE DE FRIEDLAND . PARIS VIII

DU 3 AU 20 DÉCEMBRE 1947

MOURLOT - PARIS

Nice Travail & Joie H. Matisse

EDITÉ PAR LE SYNDICAT D'INITIATIVE DE NICE
ET L'UNION MÉDITERRANÉENNE POUR L'ART MODERNE
MOURLOT IMP. PARIS

MINISTÈRE DE L'ÉDUCATION NATIONALE

H. Matisse 5/9

HENRI MATISSE

ŒUVRES RÉCENTES

1947 - 1948

MUSÉE NATIONAL D'ART MODERNE

AVENUE DU PRÉSIDENT WILSON

DU 17 JUIN AU 25 SEPTEMBRE 1949

TOUS LES JOURS, SAUF LE MARDI, DE 10 HEURES A 17 HEURES

ÉDITIONS DES MUSÉES NATIONAUX · MOURLOT PARIS

Madame de Pompadour
reçoit le mardi 20 novembre 1951
au Pavillon de Marsan
à 22 heures -

H. MATISSE 51

Mourlot

Sous le Haut Patronage de
MONSIEUR VINCENT AURIOL
PRÉSIDENT DE LA RÉPUBLIQUE

LES PEINTRES
TÉMOINS DE
LEUR TEMPS

MUSÉE DE BOURGES

HOTEL CUJAS

*du 21 Mars
au 31 Mai 1953*

H. Matisse 52

AFFICHES D'EXPOSITIONS RÉALISÉES DEPUIS 25 ANS
PAR L'IMPRIMERIE MOURLOT ET PRÉSENTÉES A L'OCCASION
DE SON CENTENAIRE A LA GALERIE KLÉBER, PARIS
24, AVENUE KLÉBER - 5 DÉCEMBRE 1952 - JANVIER 1953

THE ARTS COUNCIL

THE SCULPTURE OF MATISSE
AND THREE PAINTINGS WITH STUDIES

9 JANUARY - 22 FEBRUARY 1953

THE TATE GALLERY
WEEKDAYS 10-6   SUNDAYS 2-6   ADMISSION 1./-

H. Matisse

MOURLOT PARIS

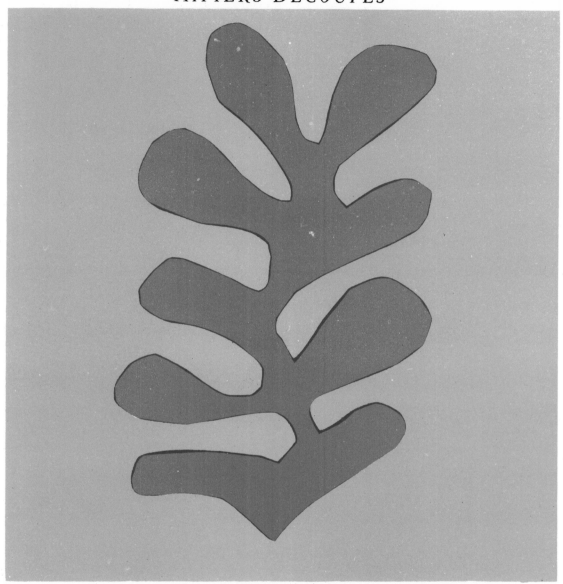

JOAN MIRÓ

EXPOSITION
INTERNATIONALE DU
SURRÉALISME
1947
GALERIE MAEGHT
13 RUE DE TÉHÉRAN PARIS

Galerie   Maeght

œuvres récentes

GALERIE MAEGHT

PARIS

TERRES DE GRAND FEU

MIRÓ ARTIGAS

PEINTURES   SCULPTURES

LITHOGRAPHIES   CÉRAMIQUES

GALERIE MATARASSO 36 Bᵈ DUBOUCHAGE NICE

DU 17 MAI AU 17 JUIN 1957

JOAN MIRÓ

bois gravés pour

A TOUTE ÉPREUVE de PAUL ELUARD

GÉRALD CRAMER ÉDITEUR

EXPOSITION CHEZ

BERGGRUEN & CIE

du 25 avril au 17 mai 1958   70, rue de l'Université Paris-VII

IMP. FEQUET ET BAUDIER, PARIS

PABLO PICASSO

EXPOSITION
DU 24 JUILLET AU 29 AOUT
POTERIES
FLEURS
PARFUMS
VALLAURIS
.A.M.

EXPOSITION
DU 24 JUILLET AU 29 AOUT
POTERIES
FLEURS
PARFUMS
VALLAURIS
A.M

POTERIES

PICASSO DE

DU 27 NOVEMBRE 1948
AU 5 JANVIER 1949

à la Maison de la Pensée Française

2, RUE DE L'ÉLYSÉE · PARIS

TOUS LES JOURS DE 10 HEURES À MIDI ET DE 14 À 19 HEURES

MOURLOT, IMP. PARIS

CONGRÈS MONDIAL
DES PARTISANS
DE LA PAIX

SALLE PLEYEL
20·21·22 ET 23 AVRIL 1949
PARIS

RELAIS DE LA JEUNESSE
DU 31 JUILLET AU 15 AOUT 1950
SOUS LE PATRONAGE DE LA REVUE "LES PARTISANS DE LA PAIX"

RENCONTRE INTERNATIONALE DE NICE
DU 13 AU 20 AOUT 1950
POUR L'INTERDICTION ABSOLUE DE L'ARME ATOMIQUE

VOS PLUS BELLES VACANCES
AIDERONT A SAUVER
LA PAIX

RENSEIGNEMENTS ET ADHÉSIONS
AU COMITÉ D'INITIATIVE NATIONAL · 19, RUE SAINT-GEORGES · PARIS 9e

MOURLOT IMP. PARIS

DEUXIÈME
CONGRÈS
MONDIAL
DES PARTISANS
DE LA PAIX

LONDRES
13-19 NOVEMBRE 1950

MOURLOT IMP. PARIS

EXPOSITION HISPANO-AMERICAINE
GALERIE
HENRI TRONCHE
6 AV. PERCIER
30 NOVEMBRE
22 DECEMBRE
1951
PARIS

EXPOSITION HISPANO-AMERICAINE
GALERIE
HENRI TRONCHE
6 AV PERCIER
30 NOVEMBRE
22 DECEMBRE
1951
PARIS
Picasso

EXPOSITION HISPANO-AMERICAINE
GALERIE
HENRI TRONCHE
6 AV PERCIER
20 NOVEMBRE
22 DECEMBRE
1951
PARIS

CONGRÈS DES PEUPLES POUR LA PAIX

VIENNE
12-18 DÉCEMBRE 1952

MOURLOT IMP. PARIS

Hommage des
artistes Espagnols
au poète Antonio
Machado

Exposition

peinture — Sculpture
du 4 au 24 Février 1955

Maison de la Pensée Française
2 Rue de l'Elysée
PARis VIII

Picasso
le 3.1.55.

Imp. Moderne du Lion, Paris.

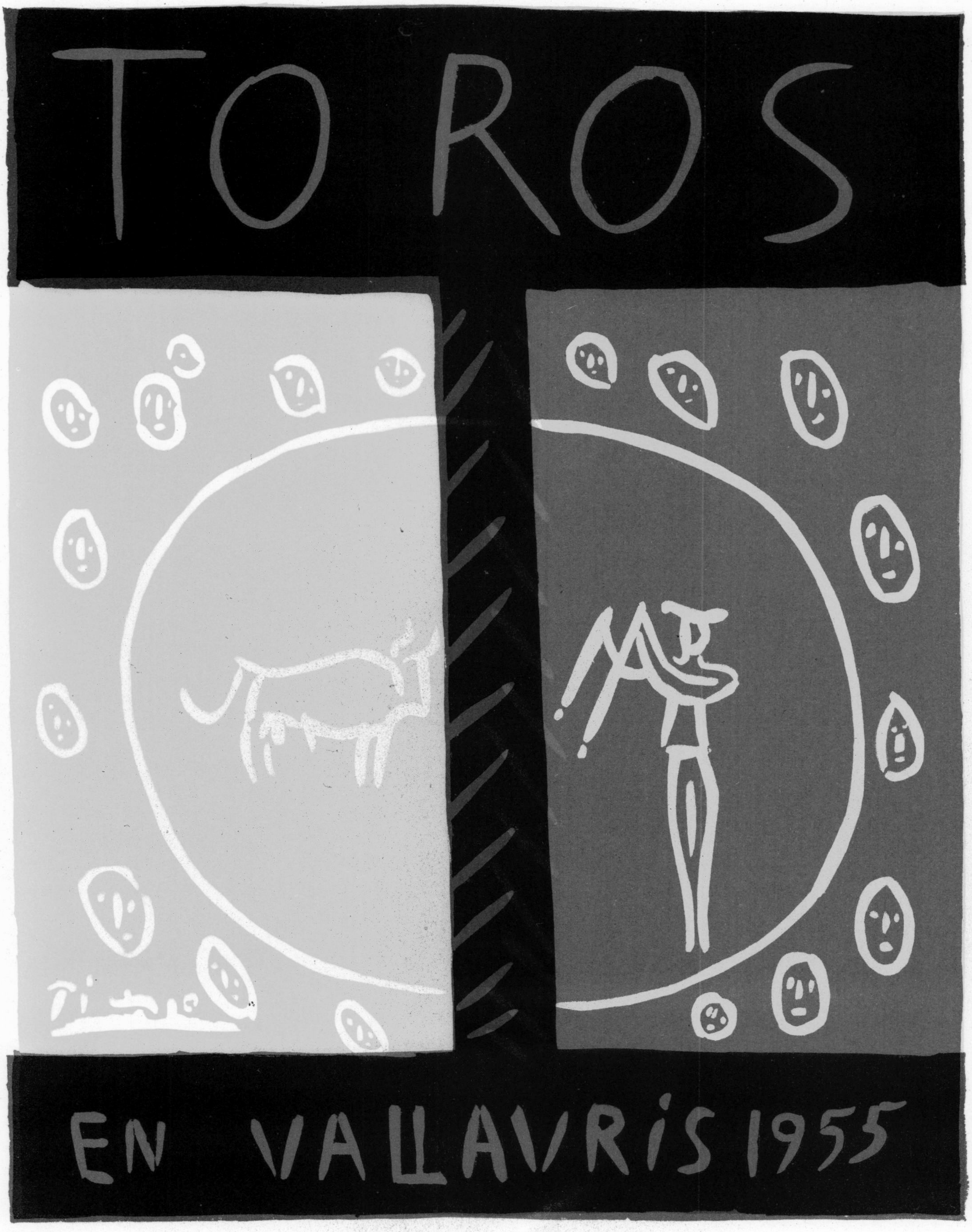
TOROS
EN VALLAURIS 1955

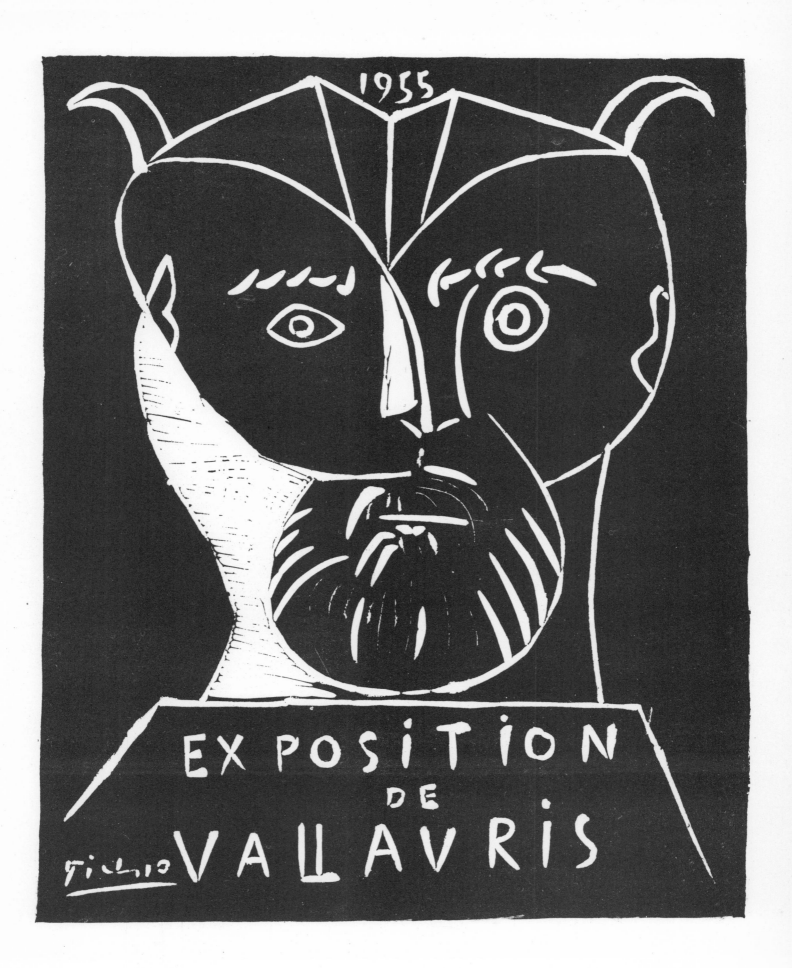

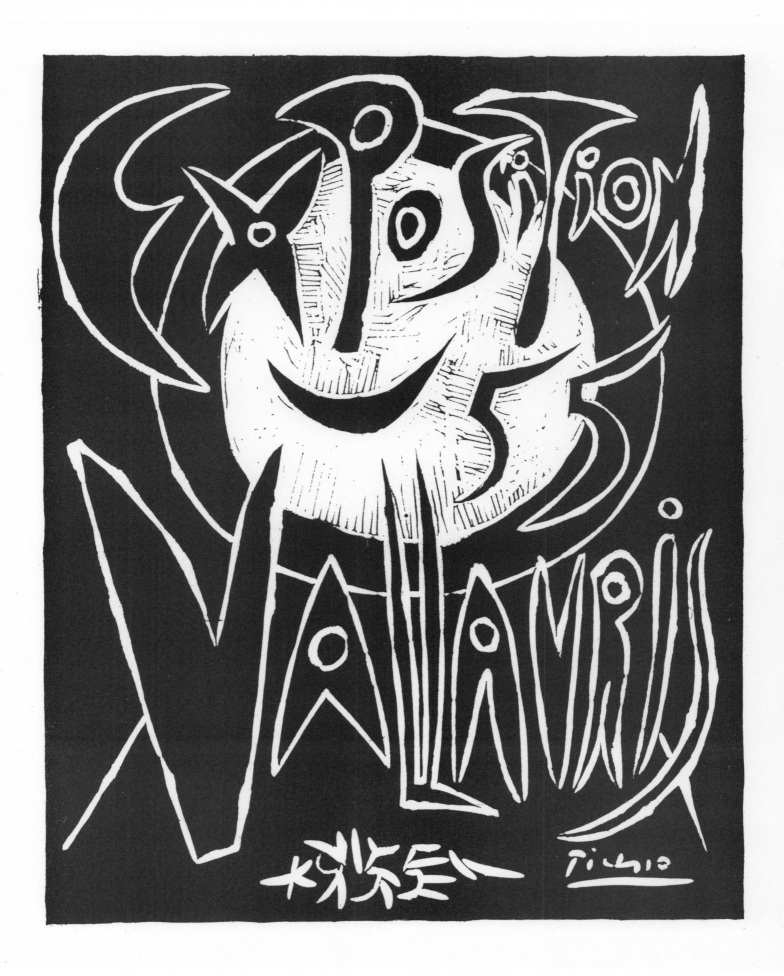

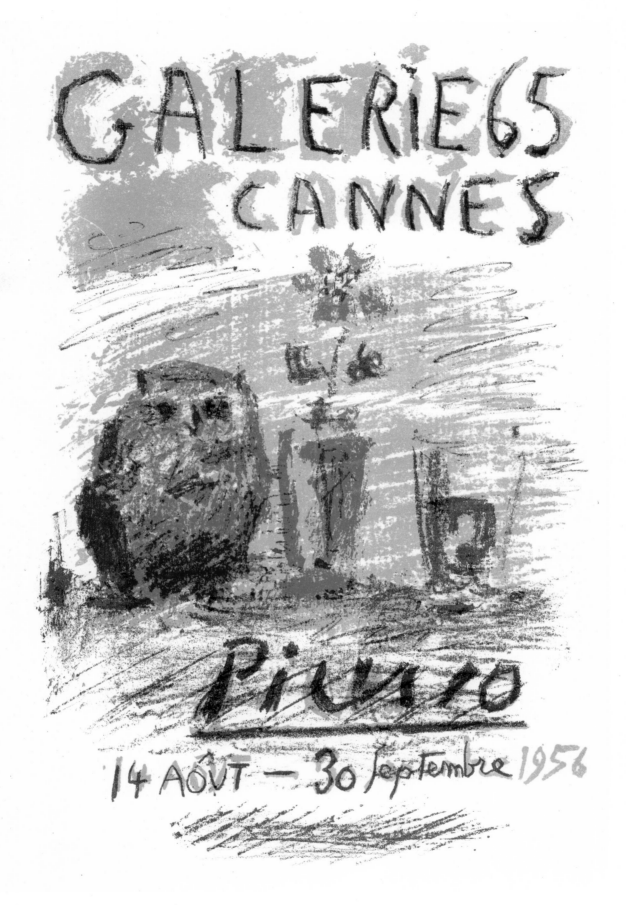

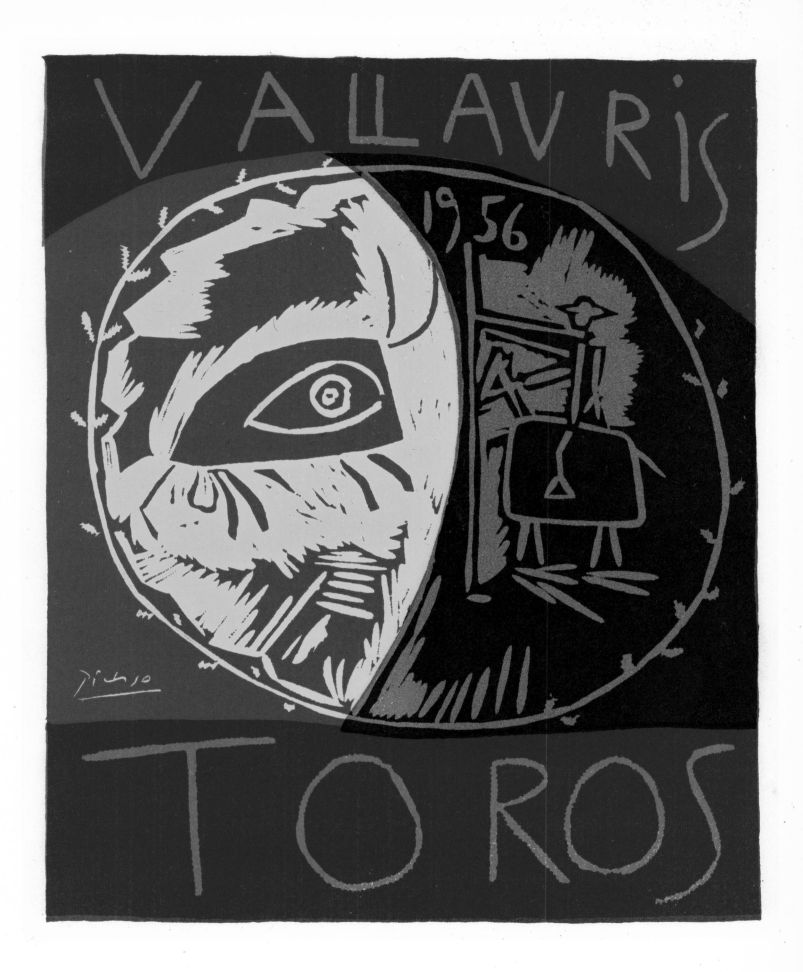

PICASSO

Un demi-siècle de Livres Illustrés

du 21 Décembre 1956 au 31 Janvier 1957

GALERIE H. MATARASSO

36 Boulevard Dubouchage . NICE

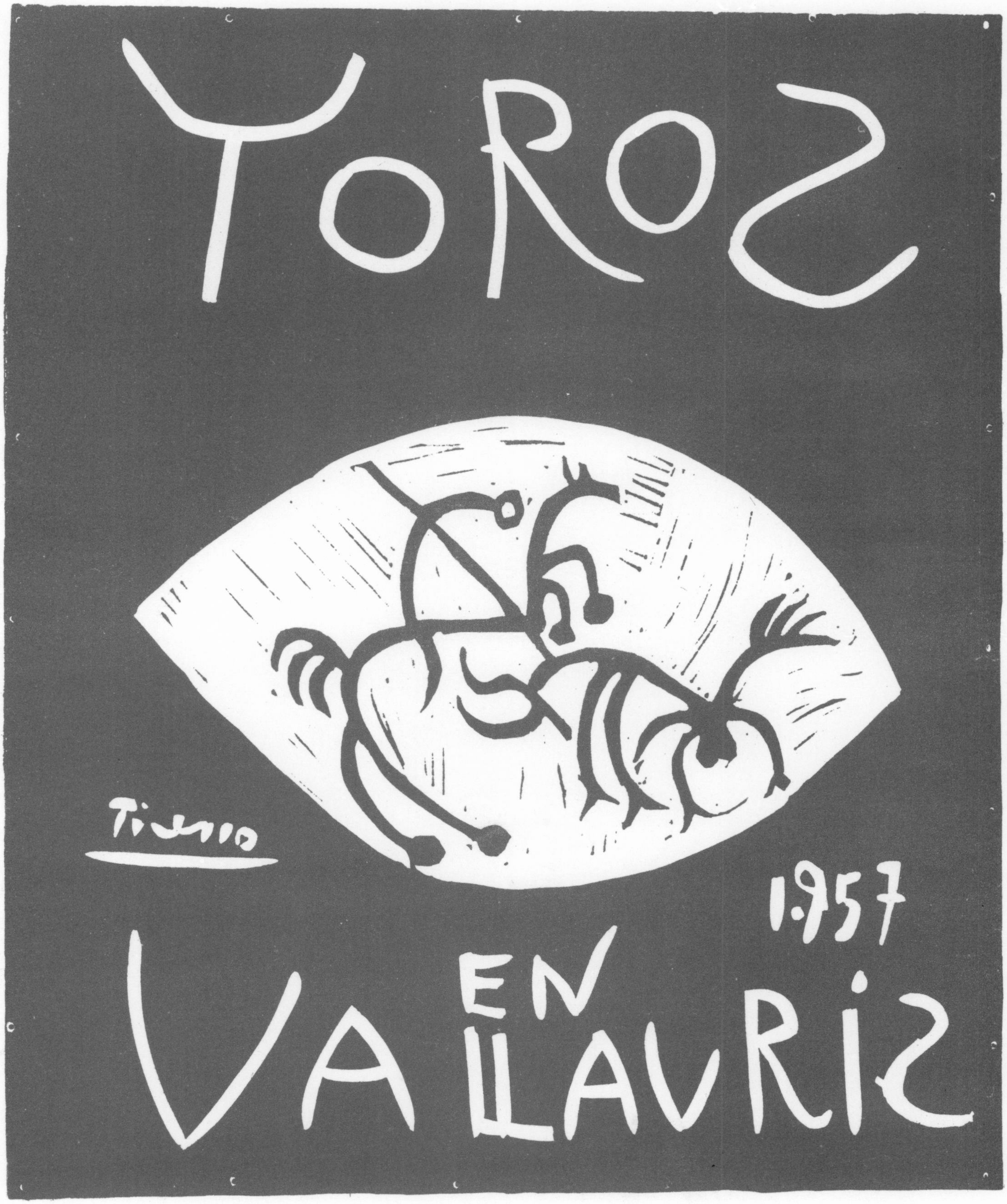

TOROS
Picasso
1957
EN
VALLAURIS

PICASSO
PEINTURES
1955—1956
GALERIE LOUISE LEIRIS
47 Rue de Monceau—PARIS—VIII
mars—AVRIL 1957.

GALERIE 65 - Cannes
65 R. D'Antibes - T. g 15-33

PATES BLANCHES
empreintes originales Editées par Madoura
ET
Gravures Rares
EXPOSITION du 9 Août au 31 Août 1957

MUSÉE D'ART MODERNE
CÉRET
AOUT · SEPTEMBRE · OCTOBRE 1957

MOURLOT.

PATES BLANCHES
(Empreintes originales Madoura)

Picasso

GALERIE FOLKLORE
2 R. de Jussieu – Lyon
du 7.12 au 4.1.58.

PAIX. STOCKHOLM
16 - 22 JUILLET 1958

Maison de la Pensée Française
2 Rue de l'Elysée
Exposition de Céramiques
du 8 mars au 30 juin
Picasso
6.4.1.58.
PICASSO

Maison de la Pensée Française
2 Rue de l'Elysée
Exposition de Céramiques
du 8 mars au 30 juin
PICASSO
Picasso
6.14.1.58.

MUSÉE MUNICIPAL D'ART MODERNE
CERET
PICASSO
CÉRAMIQUES ET PATES BLANCHES
empreintes originales
EDITIONS MADOURA VALLAURIS
DU 15 JUILLET AU 15 OCTOBRE 1958

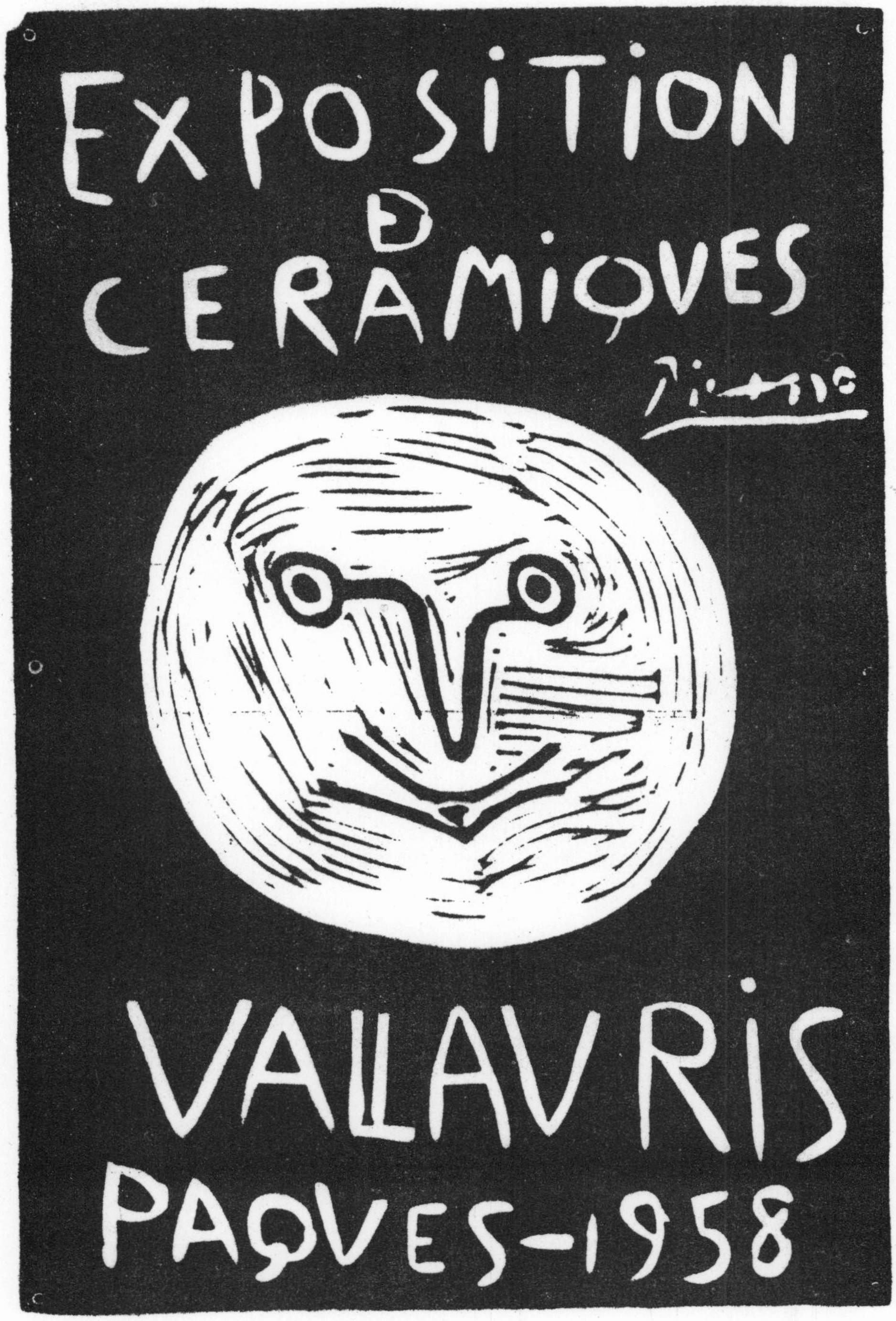
EXPOSITION
D
CERAMIQVES
Picasso
VALLAVRIS
PAQVES-1958

HOMMAGE A SA MÉMOIRE

COLLIOURE, 22 FÉVRIER 1959

PARIS, 25 FÉVRIER
ANNEXE DE LA SORBONNE

MOURLOT

Les cinq affiches
figurant sous les numéros 98 à 102 ont été
réalisées par Braque, Chagall, Miró et Picasso
au cours de l'été 1959, pendant l'achèvement du
présent ouvrage. Nous avons pensé donner un
intérêt plus grand à ce recueil en les y ajoutant.

Marc Chagall

MUSÉE DES ARTS DÉCORATIFS - PALAIS DU LOUVRE

PAVILLON DE MARSAN, 107 RUE DE RIVOLI — TOUS LES JOURS DE 10 H. A 17 H. SAUF LE MARDI

JOAN MIRÓ

Constellations

PIERRE MATISSE ÉDITEUR

EXPOSITION CHEZ

BERGGRUEN - 70 RUE DE L'UNIVERSITÉ - PARIS

MOURLOT IMP., PARIS

PICASSO

"Les Ménines"

Galerie Louise Leiris

47. Rue de Monceau

du 22 mai au 27.6.59.

AFFICHES ORIGINALES DES Maîtres de l'École de PARIS

Maison de la Pensée Française
2 rue de l'Elysée PARIS
à Partir du 27 Juin 1959.
Picasso
10.6.59.

CATALOGUE DESCRIPTIF

GEORGES BRAQUE

1 G. BRAQUE. Galerie Maeght, 1946.
  200 exemplaires (61 × 48). Impression litho six couleurs. — Mourlot impr.
  La maquette, à grandeur, a été réalisée avec le collage d'un dessin sur un morceau de carton ondulé.

2 ŒUVRE GRAPHIQUE. Galerie Maeght, 1947.
  300 exemplaires (59 × 44,5). Impression litho quatre couleurs. — Mourlot impr.
  L'artiste a voulu que cette affiche rappelât la précédente.

3 G. BRAQUE. Galerie Maeght, 1950.
  275 exemplaires (73,5 × 52). Impression litho sept couleurs. — Mourlot impr.

4 G. BRAQUE. Galerie Maeght, 1952.
  250 exemplaires (62 × 48). Impression litho sept couleurs. — Mourlot impr.
  50 exemplaires sur Arches.

5 THÉOGONIE. Galerie Maeght, juillet 1954.
  250 exemplaires (75,5 × 55,5). Impression litho cinq couleurs. — Mourlot impr.
  100 exemplaires sur Arches avant la lettre.

6 SUR QUATRE MURS. Galerie Maeght, 1956.
  250 exemplaires (72,5 × 42). Impression litho huit couleurs. — Mourlot impr.
  100 exemplaires sur Arches avant la lettre.

7 BRAQUE GRAVEUR. Galerie Berggruen & Cie, novembre 1953.
  750 exemplaires (60,5 × 41,5). Impression litho six couleurs. — Mourlot impr.
  Le même sujet a également servi pour la couverture du catalogue.
  Il a été fait une réimpression de cette affiche à l'étranger, légèrement agrandie, et dans un tirage offset.

8 G. BRAQUE. Galerie Maeght, 1956.
  1.000 exemplaires (75 × 51,5). Impression litho huit couleurs d'après une maquette exécutée à grandeur sur papier journal. — Mourlot impr.
  100 exemplaires sur Arches.

9 EXHIBITION G. BRAQUE. Août 1958.
  350 exemplaires pour Londres et 350 exemplaires pour la Royal Scottish Academy (73,5 × 52). Impression litho cinq couleurs. — Mourlot impr.

10 SUR QUATRE MURS. Galerie Maeght, 1958.
  1.000 exemplaires (71,5 × 47,5). Lithographie originale en cinq couleurs. — Mourlot impr.
  75 épreuves sur Arches avant la lettre, signées par l'artiste.

11 ŒUVRE GRAPHIQUE. Nicolas Rauch à Genève, septembre 1958.
  750 exemplaires (73,5 × 51). Lithographie originale en six couleurs. — Mourlot impr.
  75 exemplaires sur Arches avant la lettre, signés par l'artiste.

12 ESTAMPES - LIVRES. Adrien Maeght, 1958.
  700 exemplaires (50 × 39,5). Lithographie en trois couleurs. — Mourlot impr.
  Quelques épreuves sur Arches ont été tirées avant la lettre.

98 G. BRAQUE. Galerie Maeght, juin 1959.
  1.000 exemplaires (72 × 50). Lithographie en six couleurs. — Mourlot impr.
  250 exemplaires sur Arches avant la lettre.

MARC CHAGALL

13   CHAGALL.   Kunsthalle Basel, novembre 1933.
(130 × 90). Deux couleurs. — Benno Schwabe impr., Bâle.

14   CHAGALL.   Galerie Maeght, 1950.
250 exemplaires (60 × 50). Lithographie originale en six couleurs. — Mourlot impr.
50 exemplaires sur Arches avant la lettre, signés par l'artiste.

15   CHAGALL.   Kunsthaus, Zurich, décembre 1950.
500 exemplaires (100 × 65). Lithographie originale en six couleurs. — Mourlot impr.
50 exemplaires sur Arches avant la lettre.

16   CHAGALL - CÉRAMIQUES - SCULPTURES.   1952.
250 exemplaires (69 × 54,5). Lithographie originale en huit couleurs. — Mourlot impr.
200 exemplaires sur Arches avant la lettre.

17   CHAGALL - PEINTURES - AQUARELLES - DESSINS.
Galerie des Ponchettes, Nice, février 1952.
750 exemplaires (100 × 63). — Mourlot impr.
Quelques exemplaires sur Arches avant la lettre.
Impression litho dix couleurs de cette gouache de l'artiste, exécutée en vue d'une affiche
pour une de ses expositions. Cette affiche a servi également pour une exposition à Milan.

18   VENCE, FÊTES DE PÂQUES 1953.   Mars 1953.
(104 × 69). — Imprimerie Meyerbeer, Nice.
D'après un dessin fait pour cette affiche.

19   LE LIVRE ITALIEN CONTEMPORAIN.   Galerie des Ponchettes, Nice, juin 1953.
(94 × 65). — Imprimerie Meyerbeer, Nice.
D'après un dessin fait pour cette affiche.

20   VENCE, FÊTES DE PÂQUES 1954.   Mars 1954.
750 exemplaires (100 × 63). Lithographie originale en huit couleurs. — Mourlot impr.
Quelques exemplaires sur Arches avant la lettre.

21   PARIS.   Galerie Maeght, juin 1954.
750 exemplaires (71 × 47,5). Reproduction litho onze couleurs. — Mourlot impr.
200 épreuves sur Arches avant la lettre, numérotées et signées.

22   BIBLE.   Verve, octobre 1956.
800 exemplaires (63 × 42). Lithographie originale en six couleurs. — Mourlot impr.
50 épreuves sur Arches avant la lettre, signées par l'artiste.

23   MARC CHAGALL - GOUACHEN - AQUARELLE.   Salzburg, 1957.
(83 × 58). Impression litho cinq couleurs.

24   CHAGALL.   Galerie Maeght, juin 1957.
1.000 exemplaires (66,5 × 45,5). Lithographie originale en quatre couleurs.
50 épreuves sur Arches avant la lettre, signées par l'artiste.

25   CHAGALL.   Kunsthalle, Bern, octobre 1957.
(126,5 × 90). Lithographie originale. Tirage en cinq couleurs.

MARC CHAGALL (Suite)

26 ŒUVRE GRAVÉ.   Galerie des Ponchettes, Nice, février 1958.
    500 exemplaires (65 × 48). Impression litho huit couleurs. — Mourlot impr.
    Quelques épreuves sur Arches avant la lettre, mais portant le titre CHAGALL.
    Reproduction en photolitho d'une lithographie originale de Chagall (Éditions Maeght),
    réduite et composée en vue d'une affiche.

99 CHAGALL.   Musée des Arts décoratifs, juin 1959.
    1.500 exemplaires (75 × 51). Lithographie originale en quatre couleurs. — Mourlot impr.
    40 épreuves sur Arches avant la lettre, réservées à l'artiste.

RAOUL DUFY

27 SALON DES ARTISTES DÉCORATEURS.   R. Bessard éditeur, 1939.
    Lithographie en quatre couleurs. — Karcher impr., Paris.
    Cette affiche a été imprimée en deux formats (160 × 120 et 40 × 29).

28 EXPOSITION D'ART FRANÇAIS.   Kaunas, 1939.
    750 exemplaires (100 × 65). Lithographie en six couleurs. — Mourlot impr.
    Quelques épreuves ont été tirées sur Arches et remises à l'artiste.
    Raoul Dufy a composé cette affiche pour une Exposition d'Art Français Contemporain à
    Kaunas (Lituanie); les affiches ont été expédiées; le texte devait être imprimé sur place,
    mais on ne sait ce qu'il est advenu de cet envoi.

29 PLANÉTARIUM.   1956.
    1.000 exemplaires (67 × 46). Impression litho huit couleurs. — Mourlot impr.
    50 exemplaires sur Arches.

30 TRAGÉDIE – COMÉDIE.   1956.
    500 exemplaires (65 × 49) sur papier Arches mince.
    Raoul Dufy avait composé cette affiche pour son ami Jean-Louis Barrault, en vue d'une
    tournée théâtrale aux États-Unis en 1954. L'impression n'a pas eu lieu à ce moment,
    mais en 1956 le grand comédien a fait éditer cette affiche en hommage à son ami.

FERNAND LÉGER

31 FERNAND LÉGER.   Musée national d'Art moderne, octobre 1949.
    500 exemplaires (73 × 52). Lithographie en trois couleurs. — Mourlot impr.

32 LES CONSTRUCTEURS.   Maison de la Pensée française, juin 1951.
    800 exemplaires (76 × 52). Lithographie originale en cinq couleurs. — Mourlot impr.

33 SCULPTURES POLYCHROMES.   Galerie Louis Carré, janvier 1953.
    700 exemplaires (65,5 × 49). Impression litho sept couleurs. — Mourlot impr.
    Quelques épreuves sur Arches.

34 LÉGER.   Galerie Louis Carré, juin 1953.
    500 exemplaires (65,5 × 46,5). Impression litho six couleurs. — Mourlot impr.
    100 exemplaires sur Arches.

FERNAND LÉGER (Suite)

35 F. LÉGER.   Museum Morsbroich, février 1955.
500 exemplaires (76 × 56). Lithographie en trois couleurs. — Mourlot impr.
Quelques épreuves avant la lettre, réservées à l'artiste.

36 FERNAND LÉGER.   Musée de Lyon, juin 1955.
800 exemplaires (76,5 × 52). Composition en quatre couleurs imprimées en lithographie.
Quelques épreuves avant la lettre, réservées à l'artiste.

37 ŒUVRES RÉCENTES.   Maison de la Pensée française, novembre 1954.
750 exemplaires (66 × 49). Impression litho sept couleurs. — Mourlot impr.
Pour cette affiche, Léger a été particulièrement difficile, venant plusieurs fois à l'atelier,
amenant au dernier moment des corrections sous presse; il a finalement été très satisfait,
et le résultat est excellent.

HENRI MATISSE

38 EXPOSITION DE DESSINS.   Galerie Maeght, 1945.
150 exemplaires (120 × 80). Deux couleurs.

39 JAZZ.   Galerie Pierre Berès, décembre 1947.
500 exemplaires (63 × 45,5). Lithographie en deux couleurs. — Mourlot impr.

40 TRAVAIL ET JOIE.   Ville de Nice, 1948.
10.000 exemplaires (100 × 65). Impression litho dix couleurs. — Mourlot impr.

41 ŒUVRES RÉCENTES.   Musée national d'Art moderne, 1949.
500 exemplaires (73 × 52). Agrandissement d'un lino original gravé spécialement pour
cette affiche. — Mourlot impr.

42 HENRI MATISSE.   Maison de la Pensée française, juillet 1950.
700 exemplaires (76 × 53). Papier découpé exécuté à grandeur, imprimé en litho quatre
couleurs. — Mourlot impr.

43 BAL DE L'ÉCOLE DES ARTS DÉCORATIFS.
Pavillon de Marsan, 20 novembre 1951.
1.500 exemplaires (80 × 60). Impression litho dix couleurs. — Mourlot impr.
Quelques épreuves sur Arches remises à l'artiste.
Cette magnifique composition a été réalisée par le Maître avec des papiers découpés sur
lesquels il est revenu dessiner au pinceau; cette maquette a été offerte au bénéfice des
Anciens Élèves de l'École des Arts décoratifs.

44 LES PEINTRES TÉMOINS DE LEUR TEMPS.   1952.
800 exemplaires (51,5 × 37,5). Lithographie en quatre couleurs d'après un papier collé. —
Mourlot impr.
Tirage avec deux textes différents : PARIS et BOURGES.

45 EXPOSITION D'AFFICHES.   Galerie Kléber, 1952.
800 exemplaires (65 × 50). Texte français et hollandais. — Mourlot impr.
Quelques épreuves sur Arches avant la lettre pour l'artiste.
Lithographie en six couleurs d'après un papier collé réalisé pour une exposition d'affiches
présentée à l'occasion du Centenaire de l'imprimerie Mourlot frères. Cette composition
est une des premières et des plus grandes réussites d'art abstrait éditées pour le grand
public.

HENRI MATISSE   (Suite)

46   THE SCULPTURE OF MATISSE.   The Tate Gallery, 1953.
  800 exemplaires (75,5 × 52,5). Composition papiers collés et dessin, imprimée en litho cinq couleurs. — Mourlot impr.

47   MATISSE, PAPIERS DÉCOUPÉS.   Galerie Berggruen & Cie, 1953.
  Deux éditions à 500 exemplaires (65 × 40). Tirage litho deux couleurs d'après un papier découpé. — Premier tirage à 500 exemplaires par Desjobert; deuxième tirage à 500 exemplaires par Mourlot.

JOAN MIRÓ

48   EXPOSITION DU SURRÉALISME.   Galerie Maeght, 1947.
  200 exemplaires (65 × 47). Composition exécutée pour cette affiche et imprimée en litho cinq couleurs. — Mourlot impr.

49   JOAN MIRÓ.   Galerie Maeght, 1949.
  300 exemplaires (65 × 50). Lithographie originale en cinq couleurs. — Mourlot impr.
  75 épreuves sur Rives B. F. K. d'un second état de cette composition transformée, signées par l'artiste.

50   MIRÓ – ART GRAPHIQUE.   Galerie Maeght, 1950.
  350 exemplaires (64,5 × 50). Lithographie originale en cinq couleurs. — Mourlot impr.
  40 épreuves sur Arches avant la lettre, signées par l'artiste.

51   MIRÓ – ŒUVRES RÉCENTES.   Galerie Maeght, 1953.
  350 exemplaires (67,5 × 50,5). Lithographie originale en huit couleurs. — Mourlot impr.

52   DERRIÈRE LE MIROIR.   Maeght éditeur, 1954.
  500 exemplaires (38 × 25). Lithographie originale en quatre couleurs. — Mourlot impr.

53   TERRES DE GRAND FEU.   Galerie Maeght, 1955.
  500 exemplaires (68 × 51). Lithographie originale en cinq couleurs. — Mourlot impr.

54   MIRÓ.   Galerie Matarasso, Nice, 1957.
  500 exemplaires (67 × 49). Lithographie originale en cinq couleurs. — Mourlot impr.
  75 exemplaires sur Arches avant la lettre, signés par l'artiste.

55   À TOUTE ÉPREUVE.   Galerie Berggruen & Cie, 1958.
  500 exemplaires (51,5 × 38). — Féquet et Beaudier impr.
  100 exemplaires sur Rives avant la lettre, signés par l'artiste. — Lacourière impr.
  Affiche composée par Miró avec des bois originaux contenus dans le livre À toute épreuve de Paul Éluard (Gérald Cramer, éditeur).

100   CONSTELLATIONS.   Galerie Berggruen & Cie, 1959.
  900 exemplaires (68 × 49). Lithographie originale en sept couleurs. — Mourlot impr.
  75 épreuves sur Arches, signées par l'artiste.
  Affiche exécutée pour l'Exposition du livre Constellations (Pierre Matisse, éditeur).

PABLO PICASSO

La lettre «M» suivie d'un chiffre indique le numéro de la lithographie dont il est donné un détail précis dans Picasso lithographe *(André Sauret, éditeur).*

56 EXPOSITION POTERIES, FLEURS, PARFUMS.   Vallauris, juillet 1948.
57   Picasso a offert une affiche à la ville de Vallauris; mais il a fait trois lithographies différentes.
58   350 exemplaires (60 × 40) de chaque affiche sur vélin du Marais. Composition en deux couleurs exécutées sur papier litho au lavis et au crayon. — Mourlot impr.
        50 épreuves sur Arches signées par l'artiste de chacune des trois compositions (M. 118-119-120).

59 POTERIES DE PICASSO.   Maison de la Pensée française, novembre 1948.
        750 exemplaires (61 × 40). Impression litho deux couleurs. — Mourlot impr.

60 CONGRÈS MONDIAL DES PARTISANS DE LA PAIX.   Paris, avril 1949.
        1.500 exemplaires (120 × 80) et 1.000 exemplaires (60 × 40). Sur papier affiche. — Mourlot impr.
        Le sujet de cette célèbre affiche est une lithographie originale de Picasso (M. 141), imprimée photographiquement et reproduite depuis à des millions d'exemplaires dans tous les pays.

61 RELAIS DE LA JEUNESSE.   Nice, août 1950.
        1.000 exemplaires (120 × 80) et 500 exemplaires (76 × 56). — Mourlot impr.
        Picasso a exécuté pour cette affiche une lithographie originale (M. 188) tirée à 50 exemplaires. Il a été fait un report de cette lithographie pour le tirage de l'affiche 120 × 80.

62 DEUXIÈME CONGRÈS DE LA PAIX.   Londres, novembre 1950.
        2.000 exemplaires (120 × 80). Texte français et anglais. — Mourlot impr.
        Picasso a exécuté au crayon litho trois dessins sur zinc. Cette colombe en vol a été choisie; un report sur zinc a été fait sur pierre et imprimé en lithographie sur un fond chine. Les trois zincs ont été tirés à 50 exemplaires (M. 191-192-193).

63 EXPOSITION HISPANO-AMÉRICAINE.
        Galerie Henri Tronche, Paris, décembre 1951.
        400 exemplaires (65 × 49,5) et 100 exemplaires à la presse à bras sur vélin, signés par l'artiste. Lithographie originale. — Mourlot impr.

64 EXPOSITION HISPANO-AMÉRICAINE.
65   Décembre 1951. Lithographies originales.
        Quelques épreuves réservées à l'artiste.
        50 exemplaires (65 × 49,5) des deux sujets sans la lettre (M. 204-205-206-207-208).
        Picasso a fait trois compositions assez semblables. C'est le numéro 63 qui a été choisi pour l'affiche définitive.

66 EXPOSITION VALLAURIS 1951.
        400 exemplaires en bistre sur blanc (65 × 50) et 400 exemplaires en vert sur blanc sur papier vélin. Lino original. — Arnera impr., Vallauris.

67 CONGRÈS DES PEUPLES POUR LA PAIX.   Vienne, décembre 1952.
        1.000 exemplaires (120 × 80). Lithographie en huit couleurs. — Mourlot impr.
        Cette affiche a une longue histoire; c'est le septième projet (celui-ci) que Picasso a finalement choisi (M. 210-211-212-213-214-215-216).

PABLO PICASSO (Suite)

68 EXPOSITION VALLAURIS 1952.
Cette affiche a été imprimée deux fois.

Pour Vallauris sur le lino original (70 × 50) : 450 exemplaires en noir sur papier affiche blanc, 350 exemplaires en noir sur papier jaune canari, 500 exemplaires en noir sur papier orange, 500 exemplaires en vert sur papier jaune canari, et 100 épreuves sur papier canari belle qualité, signées par l'artiste. — Arnera impr.

Pour Paris, lors de la présentation de cette exposition à la Maison de la Pensée française, le même sujet, réduit photographiquement (n° 68), a été tiré à 1.000 exemplaires sur papier Canson de différentes couleurs (64 × 45). Picasso a dessiné la lettre pour cette seconde édition. — Mourlot impr.

69 EXPOSITION VALLAURIS 1953.
2.000 exemplaires (67 × 51,5). Impression d'un dessin en noir sur un papier d'affiche peinte en bandes de couleurs. — Arnera impr.

70 EXPOSITION VALLAURIS 1954.
600 exemplaires (69 × 54). Linos originaux en deux couleurs. — Arnera impr.

71 TOROS EN VALLAURIS 1954.
240 exemplaires (96 × 76), dont 100 signés par l'artiste. Lino original. — Arnera impr.

72 SUITE DE 180 DESSINS.   Revue Verve, octobre 1954.
1.000 exemplaires (61 × 40). Composition originale de Picasso, papiers découpés et collage des textes. L'affiche est imprimée en litho sept couleurs dans le format exact de la maquette. — Mourlot impr.

73 HOMMAGE AU POÈTE ANTONIO MACHADO.   Paris, février 1955.
700 exemplaires (65 × 50). Reproduction en offset d'un dessin en deux couleurs. — Imprimerie du Lion, Paris.

74 TOROS EN VALLAURIS 1955.
200 exempl. (75 × 59), signés par l'artiste. Lino original en trois couleurs. — Arnera impr.

75 EXPOSITION DE VALLAURIS 1955.
600 exemplaires (66 × 54). Lino original. — Arnera impr.

76 EXPOSITION VALLAURIS 1955.
600 exemplaires (66 × 55). Lino original. — Arnera impr.

77 EXPOSITION 55 VALLAURIS.
600 exemplaires (67 × 53). Lino original. — Arnera impr.

78 EXPOSITION PICASSO.   Galerie 65, Cannes.
1.000 exemplaires sur vélin et 100 exemplaires numérotés et signés sur vélin d'Arches (65 × 50). Lithographie originale en six couleurs. — Mourlot impr.
Un premier état avant corrections de cette lithographie a été tiré à quelques exemplaires.

79 TOROS - VALLAURIS - 1956.
175 exemplaires (65 × 54), signés par l'artiste. Lino original en quatre couleurs. — Arnera impr.

PABLO PICASSO (Suite)

80 EXPOSITION VALLAURIS 1956.
   175 exemplaires (65 × 54) sur Arches, signés par l'artiste. Lino original en cinq couleurs.
   Très belle réalisation qui fait voir, une fois de plus, tout le parti que Picasso sait tirer de
   chaque procédé. L'artiste a surveillé l'impression de toutes les couleurs et l'imprimeur
   Arnera a fait là un très beau tirage.

81 EXPOSITION DE PEINTURE VALLAURIS 1956.
   1.000 exemplaires (66 × 50). Impression typo cinq couleurs, d'après une aquarelle au
   format exact. — Arnera impr.
   Picasso a colorié à la main quelques-unes de ces affiches, vendues au profit de l'exposition.

82 PICASSO – UN DEMI-SIÈCLE DE LIVRES ILLUSTRÉS.   Nice, décembre 1956.
   1.000 exemplaires (65 × 50) sur vélin et 200 exemplaires sur différents papiers de luxe,
   signés par l'artiste. Impression en trois couleurs.
   Picasso a fait une composition sur zinc au crayon litho, dont le tirage a été très bien réalisé sur presse offset, par Berto, à Marseille.
   Une réimpression de cette affiche a été faite en décembre 1958, mais le tirage a été réalisé
   d'après un typon offset, tramé, et non sur le zinc original. Le résultat est donc nettement
   inférieur au tirage de 1956. L'affiche porte cette fois deux noms d'imprimeurs : Berto à
   Marseille et Devaye à Cannes.

83 TOROS EN VALLAURIS 1957.
   200 exemplaires (64 × 53), signés par l'artiste. Lino original. — Arnera impr.

84 PEINTURES 1955-1956.   Galerie Louise Leiris, Paris, 1957.
   1.500 exemplaires (70 × 50). Lithographie originale en trois couleurs. — Mourlot impr.
   25 épreuves de la lithographie ont été tirées sur vélin d'Arches pour l'artiste.
   Le texte a été dessiné par Picasso, plusieurs projets en lettres classiques ne lui donnant
   pas satisfaction.

85 EXPOSITION VALLAURIS 57.
   175 exemplaires numérotés et signés par l'artiste. Lino original. — Arnera impr.

86 PÂTES BLANCHES.   Cannes, août 1957.
   500 exemplaires (57 × 45). Impression offset deux couleurs.

87 MANOLO HUGNET.   Musée d'Art moderne, Céret, août 1957.
   500 exemplaires (77 × 53). Lithographie originale. — Mourlot impr.
   100 épreuves sur Arches avant la lettre, signées par l'artiste qui a colorié quelques épreuves
   au crayon.

88 PÂTES BLANCHES.   Lyon, décembre 1957.
   175 exemplaires (65 × 50). Impression typo deux couleurs. — Arnera impr.

89 PAIX STOCKHOLM.   Juillet 1958.
   (78 × 50). Tirage avec texte dans différentes langues. — Schuster impr.
   Affiche réalisée photographiquement en offset, d'après une composition exécutée au
   crayon cire.

90 PICASSO – CÉRAMIQUES.   Maison de la Pensée française, mars 1958.
   750 exemplaires (65 × 50). Lithographie originale en trois couleurs. — Mourlot impr.

PABLO PICASSO (Suite)

91 PICASSO – CÉRAMIQUES.   Maison de la Pensée française, mars 1958.
Picasso a retiré le vert de l'état précédent.
750 exemplaires (65 × 50). Lithographie originale en deux couleurs. — Mourlot impr.
200 exemplaires (160 × 120). Agrandissement photographique de la lithographie originale.

92 PICASSO.   Musée municipal, Céret, août 1958.
875 exemplaires et 125 exemplaires sur Arches, signés par l'artiste (65 × 50). Lino original
en deux couleurs plus texte en bleu. — Arnera impr.

93 CÉRAMIQUES – PÂQUES 1958.
200 exemplaires sur vélin offset et 100 exemplaires, numérotés et signés par l'artiste
(45 × 30). Lino original. — Arnera impr.

94 TOROS 1958.
190 exemplaires (65 × 53) sur Arches, signés par l'artiste. Lino original. — Arnera impr.

95 EXPOSITION VALLAURIS 1958.
100 exemplaires sur vélin offset et 175 exemplaires sur Arches, signés par l'artiste (64 × 53).
Trois couleurs. — Arnera impr.

96 VALLAURIS – DIX ANS DE CÉRAMIQUES.   1958.
1.000 exemplaires (54 × 33). Impression sur clichés typo deux couleurs. — Arnera impr.

97 HOMMAGE À ANTONIO MACHADO.   Collioure, février 1959.
500 exemplaires (64 × 46) en français et en espagnol. Impression litho cinq couleurs.
— Mourlot impr.
Quelques épreuves sur Arches.

101 LES MENINES.   Galerie Louise Leiris, 1959.
1.500 exemplaires (66 × 48). Impression litho huit couleurs d'après une composition dans
le format exact. — Mourlot impr.
Picasso avait fait une première maquette pour cette affiche, composition qui n'a pas été
retenue par lui.

102 AFFICHES ORIGINALES.   Maison de la Pensée française, juin 1959.
1.500 exemplaires (65 × 50). Lithographie originale en trois couleurs. — Mourlot impr.

PRINTED IN FRANCE

CET OUVRAGE

RÉALISÉ PAR FERNAND MOURLOT

POUR ANDRE SAURET

A ÉTÉ ACHEVÉ D'IMPRIMER LE 6 OCTOBRE 1959

LE TEXTE A ÉTÉ COMPOSÉ À LA MAIN

EN CARACTÈRES JAUGEON

PROPRIÉTÉ EXCLUSIVE DE L'IMPRIMERIE NATIONALE

QUI EN A ASSURÉ LE TIRAGE

LES AFFICHES ONT ÉTÉ REPRODUITES DANS

LES ATELIERS DE MOURLOT FRÈRES